如何帮助孩子学会敢于尝试

▶ 　　亲爱的家长/老师，《和朋友们一起想办法》系列的《怕痒痒的小绵羊》讲述的是，又到了修剪羊毛的季节，农场主弗瑞德先生的工作一开始进展顺利，可到了给小羊莎莉剪羊毛时，却遇上了麻烦。"别担心，我有办法！"他通过尝试用不同方法，最终解决了问题。**我们如何结合故事内容，培养孩子在碰到困难时，学会敢于尝试，以获得成功呢？**

　　一是家长敢于放手，不要包办。有很多家庭对孩子的呵护无微不至，大小事情都由大人包揽代办，以至于一些孩子从小养成较为懒散的习惯。其实，即使是很小的孩子，在家长或老师的启发和引导下，也会运用一些策略和办法来解决问题。我们要相信孩子的能力，懂得适时放手。

　　二是创造条件，让孩子自己体验和学习。随着生长发育，进入幼儿期的孩子已经会有摆脱控制的想法，希望自己能够尝试做一些事情，如刷牙、洗脸、穿衣服、收拾房间等等。家长应该根据孩子的意愿，创造让孩子自己体验和学习的机会。比如明确告知刷牙、洗脸、洗澡的方法，并定时督促；三四岁的儿童，可以分配给孩子一个衣柜，让孩子独立整理自己的衣服，并引导孩子自己动手，学会穿衣服；提供一定的空间和设备，帮助孩子收纳物品和玩具。

　　三是根据孩子的兴趣爱好，鼓励尝试，不要害怕失败。家长应留心观察，帮助孩子找到感兴趣的学习方向，鼓励大胆尝试，敢于接受失败。可以让孩子协助做力所能及的家务，如扫地、浇花、喂宠物、倒垃圾等等，并尽量少干预孩子的兴趣爱好。当孩子碰到挫折时，要及时给予建议，让他知道当一

▶ 种方法行不通时，懂得及时调整方向。

父母应该在孩子面前表现出6项品质

心理学家认为，为了培养孩子积极面对困难，培养责任感，父母应该在孩子面前表现出6项品质：一是要有明确的目标，眼光长远。二是把家庭的目光和焦点永远放在目标上。三是懂得有效地表达你作为家长的权威。四是经常换位思考，考虑他人的需要。五是遇到问题态度积极，多用正面的思维。六是多向孩子传递你盼望取得成功的决心。

（故事爸爸、童书编辑　陈喜嘉）

请家长/老师在和小朋友一起阅读完故事后，引导孩子开展以下的阅读互动。

解决问题小达人加油站

小朋友，看完了《怕痒痒的小绵羊》，让我们来回忆一下故事吧，看看你还记得多少有趣的情节。

1. 弗瑞德先生给小绵羊剪羊毛进展顺利吗？莎莉和其他小绵羊有什么不同？

2. 弗瑞德先生一共给莎莉剪了几次羊毛？动物们为什么要笑话它呢？

3. 弗瑞德先生最后用什么办法给莎莉剪了个波浪式发型呢？

4. 故事的最后，听了弗瑞德的话，珍妮为什么会大笑起来？

如果让你想办法，你会尝试用哪些办法帮莎莉剪羊毛呢？（家长或老师也要想想办法，并且一定要记得对小朋友提出的建议给予鼓励和掌声呀！）

你解决问题的方法：

图书在版编目(CIP)数据

怕痒痒的小绵羊 / 〔英〕戈尔德萨克著；〔英〕斯莫尔曼绘；柳漾译. 一武汉：长江少年儿童出版社，2014.10
（和朋友们一起想办法）
书名原文：The ticklish sheep
ISBN 978-7-5560-1484-2

Ⅰ. ①怕… Ⅱ. ①戈… ②斯… ③柳… Ⅲ. ①儿童文学 - 图画故事 - 英国 - 现代 Ⅳ. ①I561.85

中国版本图书馆CIP数据核字（2014）第219001号

怕痒痒的小绵羊

〔英〕加比·戈尔德萨克 / 著　〔英〕史蒂夫·斯莫尔曼 / 绘　柳 漾 / 译
策划编辑 / 陈喜嘉
责任编辑 / 傅一新　佟 一　陈喜嘉
装帧设计 / 胡馨予　美术编辑 / 胡馨予
出版发行 / 长江少年儿童出版社
经销 / 全国新华书店
印刷 / 广东广州日报传媒股份有限公司印务分公司
开本 / 787×1092　1/12　2.5印张
版次 / 2018年12月第1版第37次印刷
书号 / ISBN 978-7-5560-1484-2
定价 / 9.00元

The Ticklish Sheep

本书中文简体字版权经 Parragon Publishing (China) Limited 授予心喜阅信息咨询（深圳）有限公司，由长江少年儿童出版社独家出版发行。
版权所有，侵权必究。

策划 / 心喜阅信息咨询（深圳）有限公司　咨询热线 / 0755-82705599　销售热线 / 027-87396822　http://www.lovereadingbooks.com

和朋友们一起想办法

怕痒痒的小绵羊

〔英〕加比·戈尔德萨克 / 著　〔英〕史蒂夫·斯莫尔曼 / 绘　柳　漾 / 译

长江出版传媒 ┃ 长江少年儿童出版社

一天早上，珍妮在厨房里给弗瑞德先生剪头发。

"快点儿！"弗瑞德先生对太太说，"我今天还要给所有的绵羊剪毛呢！"弗瑞德先生是个农场主，他养了一大群绵羊。

"好！——不要动来动去！"珍妮笑着说。

"有点儿痒。"弗瑞德咯咯笑着。

终于剪完了，珍妮笑着说："我还从没见过谁剪头发像你这样喜欢动来动去的。"

　　弗瑞德带着牧羊犬帕奇上山，准备把正在吃草的绵羊集中起来。

　　弗瑞德对帕奇吹了声口哨："嘣噗！嘣——噗！"帕奇一听立即绕着草地跑，把羊群赶进院子。

　　弗瑞德又吹了一声不同的口哨："嘣——噗！嘣噗！"帕奇马上让羊群排好队，在谷仓外等着。

开始剪羊毛了。帕奇帮弗瑞德把几只羊赶到谷仓里面，
"嚓——嚓——嚓"，三下两下，羊毛就全被弗瑞德剪下来了。
"没什么比修剪羊毛更让人高兴了！"他笑着说。

一只接一只，弗瑞德哼着小曲儿挨个给绵羊修剪羊毛。
谷仓的角落里已经堆起了一堆毛茸茸的羊毛。工作进展一直
很顺利，轮到小羊莎莉时，弗瑞德却遇到了小麻烦。

"噜——噜，噜——噜！"弗瑞德开始给莎莉剪羊毛。

"咩咩——哈哈！"只要一碰到电剪，莎莉就挣扎着笑个不停——原来，莎莉是只特别怕痒的小绵羊，弗瑞德把这点给忘了！

"咩咩——咩咩！"莎莉笑个不停。

"不要乱动！"弗瑞德一边喊着，一边紧紧按住莎莉，可是莎莉根本控制不住自己。

他们的动静太大了，其他动物都好奇地围了过来。

弗瑞德只好关掉了电剪。

"噢，天哪！"看着莎莉，弗瑞德倒吸了一口气。因为剪羊毛时不停地扭动，结果莎莉毛茸茸的身体变得坑坑洼洼的，像是打了好多个"补丁"，看上去很好笑。

突然，弗瑞德高兴地大喊："别担心，我有办法！"

别担心，我有办法！

弗瑞德和帕奇冲进了储物间。农场的动物都围着小羊莎莉，奶牛康妮看到她闷闷不乐地低着头，就温柔地用鼻子碰了碰她的脑袋。

"弗瑞德先生想干什么？"康妮嘀咕着。

"咩……"小羊莎莉觉得很委屈。

咩……

很快，弗瑞德从储物间出来了，他手里拿着两个系着绳子的旧轮胎。

"快看！"弗瑞德骄傲地大声说，"这是我发明的超级羊毛修剪架！"

弗瑞德把两个旧轮胎套在莎莉身上，慢慢把她吊起来；然后打开电剪，开始给莎莉剪毛。尽管莎莉还是不停地扭动，不停地发笑，弗瑞德还是剪光了她身上的羊毛。

最后，弗瑞德把莎莉放下来，取下轮胎。

"噢，我的天哪！"弗瑞德直直地瞪着莎莉的"新外套"。

"咩咩？怎么啦？"莎莉问。她看着其他动物，像在等待答案。可是大家都只顾着笑了，没人回答她的问题。

等弗瑞德去收拾羊毛的时候，动物们开始议论起来。

"莎莉这个样子不能到处走动，"母鸡海蒂说，"大家会笑话她的！"

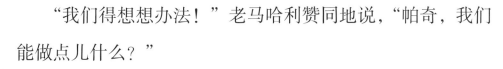

“我们得想想办法！”老马哈利赞同地说，“帕奇，我们能做点儿什么？”

突然，帕奇想起了早上珍妮给弗瑞德剪头发的事情。

“汪汪，汪汪！”帕奇大叫着，“我有办法！”

　　早上珍妮剪完头发后，把剪刀、梳子和镜子都放进了一个脸盆。帕奇跑进厨房，把它找了出来。

　　"汪汪，汪汪！"帕奇边叫边把脸盆推了出来。这时，弗瑞德正好经过这里，小羊莎莉也刚好路过。

　　"怎么啦，帕奇？"弗瑞德笑着说，"我现在可没空给
你剪头发。"

　　"等等！"弗瑞德说，"我有一个更好的办法！"他拿
起脸盆，跑回了谷仓。

很快，莎莉就坐在弗瑞德给她铺设的"理发专座"上。

"现在，看看我们的莎莉公主喜不喜欢短短的波浪式发型呢！"弗瑞德开始修剪莎莉身上剩下的羊毛。

这次，莎莉没有笑个不停，也没有动来动去。她全身的羊毛被剪得干干净净，只留下了波浪式的刘海。

　　"棒极了！"莎莉的卷发看起来很可爱，弗瑞德又用蓝
丝带给它打了个蝴蝶结。

　　莎莉骄傲地在农场里东逛西逛。珍妮，还有农场上的
每位成员都围了过来，赞赏地看着她。

大家一致认为，莎莉是农场里最漂亮的小绵羊。

弗瑞德说："我还从没见过谁剪头发像莎莉这么喜欢
动来动去的。"听了这句话，珍妮看看帕奇，禁不住大笑
起来。